MAITENA
CURVAS PELIGROSAS
2

Sudamericana-Lumen

A la témpera blanca.
In memoriam

DIME CÓMO ABRES UN ENVASE DIFÍCIL Y TE DIRÉ QUÉ TEMPERAMENTO TIENES

CON LA MANO: iLUSO	CON LOS DIENTES: iRRITABLE	CON UN CUCHILLO: AGRESIVO

CON UN ABRIDOR DE VINO: DESBORDADO	CON UNA TIJERA: DECIDIDO	TIRANDO SUAVEMENTE DE LA SOLAPA PUNTEADA COMO INDICA EL ENVASE: SUFICIENTE

DIFÍCIL DE ACOSTUMBRARTE

A UNA NUEVA CORRECCIÓN DE ANTEOJOS

A UN NUEVO SISTEMA OPERATIVO

A GASTAR MENOS

AL DETERIORO DEL ENVASE

¿LE DIGO O NO LE DIGO?

VI A TU NOVIO CON OTRA

ESTÁS MÁS GORDA

TENÉS LA BRAGUETA ABIERTA

TUVE UN AMANTE

LAS MUJERES QUE DETESTAMOS LAS MUJERES

LAS QUE SÓLO TIENEN AMIGOS HOMBRES

LAS GROUPIES

LAS QUE NO SOPORTAN A LOS NIÑOS

LAS QUE NO SABEN NI CAMBIAR UNA LAMPARITA

PEQUEÑOS GRANDES MOMENTOS DE ZOZOBRA

LLAMAR A TU PAREJA POR EL NOMBRE DE TU EX

PERDER UN ZAPATO

QUE SE LARGUE LA TORMENTA Y LOS CHICOS NO ESTÉN EN CASA

OLER A OTRO

COSAS QUE CUESTA HACER JUNTAS

LLORAR Y COMER

BAILAR Y CHARLAR

LEER Y ESCUCHAR MÚSICA

ENTRAR EN CALOR Y REÍRTE

COINCIDENCIAS PELIGROSAS: ¿LA MADRE O LA HIJA?

OPERADAS POR EL MISMO CIRUJANO

SURCADAS POR LA MISMA ARRUGA

VESTIDAS CON LA MISMA ROPA

REPITIENDO LAS MISMAS FRASES

MEJOR PERDERLOS QUE ENCONTRARLOS

LOS QUE NUNCA TE RECONOCEN AUNQUE YA FUERON PRESENTADOS VARIAS VECES

LOS QUE TE SALUDAN DEPENDE DE CON QUIÉN ESTÉS

LOS QUE TE HABLAN TODO EL TIEMPO DE TRABAJO

LOS QUE TE PRESENTAN GENTE COMPULSIVAMENTE

LOS QUE HACEN UN ESFUERZO POR CAERTE BIEN

LOS QUE TE LLAMAN POR UN APODO CARIÑOSO CINCO MINUTOS DESPUÉS DE CONOCERTE

TEMAS DE CONVERSACIÓN FAVORITOS DE LAS MADRES IMBANCABLES

CUENTAS, CUOTAS, JUBILACIÓN

DOLORES, ENFERMEDADES, MÉDICOS

LO MAL QUE ESTÁ TODO

TU PADRE (VIVO O MUERTO)

SU INCIERTO FUTURO

EL TUYO

CHICAS INSUFRIBLES

SIEMPRE PIDEN ALGO QUE NO ESTÁ EN LA CARTA

SALEN DESNUDAS Y DESPUÉS TE SACAN TU CAMPERA

LLEVAN EL EMBARAZO COMO SI FUERA UNA ENFERMEDAD

SE MAREAN EN EL AUTO

CONDUCTAS DELEZNABLES

LEERLE EL DIARIO A UN ADOLESCENTE

ROBARLE EL TAXI A UNA VIEJA

DEJAR UN MOCO PEGADO EN ALGÚN LADO

SER IMPUNTUAL

EL TIEMPO PASA CADA VEZ MÁS RÁPIDO

ANTES ERA
TU CUMPLEAÑOS
UNA VEZ POR AÑO

AHORA ES A CADA RATO

¿OTRA VEZ?

ÚLTIMAMENTE
NO SÓLO TE
CONFUNDÍS TU EDAD

...SI TIENE TRES MENOS QUE YO

SINO QUE TAMBIÉN
TE EQUIVOCÁS DE AÑO

ENTONCES LE HICE MAL EL CHEQUE

TENÉS AMIGOS DESDE
HACE VEINTE AÑOS

NO PUEDE SER

Y PAREJA HACE SIETE...

NUEVE

SIEMPRE TE
SORPRENDE JULIO

¿YA ESTAMOS A MITAD DE AÑO?

Y LO RÁPIDO QUE
PASA EL VERANO

¿FUE EN ÉSTE O EN EL ANTERIOR?

EL FUTURO SE ACERCA / EL PASADO SE ALEJA

Y SI LOS CHICOS ESTÁN GRANDES
VOS DEBÉS ESTAR ENORME

PENSAR QUE TE CONOZCO DESDE QUE IBAS AL JARDÍN DE INFANTES

...SÍ, Y VOS ERAS PARECIDA A JULIA ROBERTS

LA TENGO

NO LA TENGO

LATE-LATE

NOLA-NOLA

CUANTAS MÁS TENÉS MÁS CAMBIÁS Y VICEVERSA

TE LA PASÁS TRATANDO DE CAMBIAR LA REPETIDA

Y SIEMPRE TE FALTA LA DIFÍCIL

(13)

EL PREMIO POR COMPLETARLO ES TENER UNA BUENA AMIGA CON QUIEN COMPARTIRLO

LA LUZ DE LA RAZÓN

DE JOVEN, CUANDO SOS TAN LINDA, LA TIMIDEZ TE IMPIDE DISFRUTAR TU DESNUDEZ'

Y CUANDO APRENDÉS A DISFRUTAR LA LUZ PRENDIDA ...QUEDÁS MUCHO MEJOR A OSCURAS.

CUANDO LA FRIALDAD EN LA CAMA ES DIRECTAMENTE PROPORCIONAL A SU TAMAÑO

CUATRO COMIDAS PESADAS

CON UNA PAREJA AMIGA QUE SE ESTÁ SEPARANDO

CON EL SOCIO DE TU PAREJA ...Y SU MUJER

CON TU AMIGA QUE FINALMENTE SE SEPARÓ

CON GENTE QUE HABLA UN IDIOMA QUE NO ENTENDÉS

CUATRO COSAS QUE NO SE APRENDEN NUNCA

TENER UN BACK UP DE TODO LO QUE TENÉS EN LAS MÁQUINAS

LLEVAR LO MÍNIMO CUANDO VAS DE VIAJE

QUE EL PELO CORTO TE HACE MÁS JOVEN

QUE VOLVER A SALIR CON UN EX ES NECROFILIA

ESCOBA NUEVA BARRE BIEN

PRIMER DÍA DE TRABAJO	CONOCER A TUS SUEGROS	MUDARTE

CAMBIAR A TUS HIJOS DE COLEGIO	SOCIO NUEVO	ENAMORARTE

SEIS COSAS HORRIBLES DE PERDER

EL TREN | LA AGENDA | ESA FOTO

TU PERRO | UN AMIGO | EL SENTIDO DEL HUMOR

EL AIRE ACONDICIONADO

¿SUFRE USTED EL CALOR O ES UN ADICTO AL FRÍO?

RESPONDA CON FRIALDAD: SÍ O NO

AAAHH!!

¿SUELE OMITIR LA PALABRA ACONDICIONADO CUANDO SE REFIERE A ÉL?

- PREFIERE DORMIR CON TRES FRAZADAS ANTES QUE APAGARLO

- NO SUBE A NINGÚN VEHÍCULO QUE NO LO TENGA ENCENDIDO

- ELIGE RESTAURANTE Y/O CINE EN BASE A LA REFRIGERACIÓN QUE TENGA

- SE SIENTE MAL FÍSICAMENTE A TEMPERATURA AMBIENTE

- TIENE EL RUIDO TAN INCORPORADO QUE YA NO LO ESCUCHA

- CONSIDERA UN SACRILEGIO ABRIR UNA VENTANA

- DISCUTE CON SU PAREJA POR ESTE TEMA

¿...Y AIRE, TIENE?

¡ES UNA CASA FRENTE AL MAR, SEÑOR! ¡TIENE TODO EL AIRE DEL ATLÁNTICO!

...NO TIENE

¿HA NOTADO QUE CUANDO ALGUIEN ENTRA A SU OFICINA, EN VEZ DE QUITARSE EL SACO, SE LO PONE?

¿Y QUE LA GENTE ESTORNUDA AL SUBIR A SU AUTO?

¿CUÁNDO LO APAGA?

- CUANDO LA HABITACIÓN YA ESTÁ FRESCA

- A LA MADRUGADA, CUANDO BAJA LA TEMPERATURA EXTERIOR

- CUANDO TIENE LOS PIES AZULES

- EN INVIERNO

...SI NO LO BAJÁS NO ME SACO NI UNA MEDIA...

RECETA PARA VIVIR 100 AÑOS

COSTO:

↑

ALTO
FUEGO:

—

LENTO

AMAR : SÍ.
REÍRSE : MUCHO (SOBRE TODO DE UNO MISMO)
COMER : POCO (PERO DE TODO)
CAMINAR : SIEMPRE (Y SALIR A PASEAR)
TOMAR VINO : CON MODERACIÓN (Y ALGÚN EXCESO)
IR AL MÉDICO : CANTIDAD NECESARIA
(SIEMPRE TE ENCUENTRAN ALGO)

● ● ● ● ● ● ● ● ● ● ● ●

LIMPIAR MIEDOS, DESECHAR PREJUICIOS
DEJAR A UN LADO CELOS Y RENCORES
RESERVAR AL NIÑO QUE HAY EN UNO

CORTAR FINAMENTE CON PACIENCIA
BATIR CON ENERGÍA, SALTEAR CON CORAJE
AÑADIR GENEROSIDAD
AMASAR CON LAS MANOS
LLEVAR EL DESEO A PUNTO DE EBULLICIÓN

RALLAR UNA PIZCA DE LOCURA
CONDIMENTAR CON VIDA INTERIOR
Y PERFUMAR CON AMIGOS

LIGAR CON TRABAJO Y DIVERSIÓN
DEJAR REPOSAR

SE PUEDE ACOMPAÑAR CON MÚSICA Y/O NIÑOS
DECORAR CON BUEN HUMOR
Y SERVIR CON ALEGRÍA.

¡REVUELVA!

¡INCORPORE!

¡DESTAPE!

¡MEZCLE!

ALGUNAS TRAMPOSAS PARADOJAS

LAS QUE SE HACEN CIRUGÍAS SON LAS LINDAS

A LOS QUE TIENEN MUCHA PLATA NO LES COBRAN

HAY POBRES GORDOS

CUANTO MEJOR TE VA MÁS TENÉS QUE TRABAJAR

MÁS DIFÍCIL QUE NO HACER NADA

EL MINITURISMO COMPULSIVO

LA FALSA ESCAPADA

EL FRACASO CON LA MEDITACIÓN

LA ANGUSTIA DEL DOMINGO A LA TARDE

ESOS TREMENDOS DIMINUTIVOS

PEQUEÑAS GRANDES ENVIDIAS

LA ERA DEL RUIDO

SUENAN LAS ALARMAS
LOS MICROONDAS
LOS TELÉFONOS

TREPIDAN LOS TALADROS
RETUMBA LA IMPRESORA
CHIRRÍAN LOS FRENOS
LADRA UN PERRO ATADO
LLORA UN NIÑO
ALGUIEN GRITA

HABLAN LAS PERSONAS
LOS ASCENSORES
LAS BARRERAS...

GOL

¡GRACIAS POR SU VISITA!
¡CAJA EN EL NIVEL 3!

HAY UN TELEVISOR PRENDIDO.

...Y HASTA LOS TOALLEROS

¡SI TE GUSTA TENER LAS MANOS CALENTITAS, USÁ GUANTES LAS MOTITAS!

¿VOS TAMBIÉN ATENDÉS EL TELÉFONO CUANDO SUENA EN LA TELE?

...SÍ, Y MÁS DE UNA VEZ PENSÉ QUE BOMBARDEABAN LA CASA MIENTRAS VOS JUGÁBAS A LA PLAYSTATION...

34

CUANDO TE VIENE

(ESE PERÍODO EN EL QUE TENÉS EL ÍDEM)

UNOS DÍAS ANTES DE QUE TE VENGA SENTÍS DE REPENTE UNA ANGUSTIA EXISTENCIAL PROFUNDA

NO SABÉS DE DÓNDE VIENE PERO SENTÍS QUE EL MUNDO SE TERMINA

HASTA QUE UNOS DÍAS DESPUÉS VOLVÉS A COMPRENDER QUE SÓLO ES QUE TE VINO - COMO CADA 28 DÍAS -

- ● ESTÁS SUSCEPTIBLE Y EMOCIONALMENTE INESTABLE
- ● LLORÁS CON FACILIDAD
- ● GRITÁS REPENTINAMENTE
- ● Y ANDÁS NERVIOSA

TE DOMINA UNA ENERGÍA DESCONOCIDA

Y TE TRANSFORMÁS EN OTRA

- NO DURA MUCHO PERO PODÉS PASAR DE LA FURIA A LA MELANCOLÍA ENTRE DOS Y DIECISIETE VECES POR DÍA -

- ● TE SUELEN SALIR VARIOS GRANITOS

- MENTÓN - FRENTE - NARIZ -

- ● O UNO ENORME

- SIEMPRE EN EL MISMO LUGAR -

- ● TE HINCHÁS COMO UN SAPO
- ● TE VES HORRIBLE
- ● Y, ADEMÁS, TE DUELE

PERO COMO NO ES UNA ENFERMEDAD NO DESPIERTA DEMASIADA CONSIDERACIÓN

- NI ES TAMPOCO UN TEMA DE CONVERSACIÓN CON MUCHO RATING -

A LOS HOMBRES LES SUELE PROVOCAR UNA MEZCLA DE PUDOR Y ASQUITO

LAS NIÑAS LE TEMEN / LAS PÚBERES LO ESCONDEN / LAS JÓVENES LO RUEGAN / LAS EMBARAZADAS NUNCA LO EXTRAÑAN

Y LAS QUE YA LO DEJARON ATRÁS DICEN QUE SÓLO HAY UNA COSA PEOR QUE CUANDO TE VIENE

Y ES CUANDO SE TE VA.

FUUU!

DIME DE QUÉ SIGNO ERES Y TE DIRÉ DE QUÉ TE JACTAS

SAGITARIO · CAPRICORNIO · ACUARIO · PISCIS

ARIES · TAURO · GÉMINIS · CÁNCER

LEO · VIRGO · LIBRA · ESCORPIO

CHICOS CHICOS PROBLEMAS CHICOS, CHICOS GRANDES PROBLEMAS ÍDEM

CUESTIONARIO 31

SEPA YA SI VA A SER FELIZ ESTE NUEVO AÑO

¿TIENE EN MENTE ALGUNA
DE ESTAS COSAS? ✳

- DEJAR DE FUMAR
- IR AL GIMNASIO
- CONSULTAR A UN MÉDICO
- IR A LA DGI
- EDUCAR A UN CACHORRO
- ORDENAR PAPELES
- CAMBIAR DE PELUQUERO
- CONSTRUIR UNA CASA
- CONSEGUIR UN ABOGADO
- HACER DIETA
- ADMINISTRAR EL CONSORCIO
- ENCONTRAR UNA MUCAMA
- TRATAR CON INMOBILIARIAS
- BUSCAR COLEGIO
- MUDARSE
- ABRIR UN NEGOCIO
- SEPARARSE

7X2
VALE,
DOBLE!

¿BUSCAR
TRABAJO
VALE
DOBLE?

- TENER TRILLIZOS
- REFACCIONAR EL BAÑO Y LA COCINA
- ENCARAR UNA DIVISIÓN DE BIENES
- DESHACERSE DE UNA CUENTA BANCARIA
- EMPEZAR ANÁLISIS
- ENCONTRAR AL PRÍNCIPE AZUL

- SER ARGENTINO TAMBIÉN VALE DOBLE

✳ (SI MARCA MENOS DE CINCO TIENE GARANTIZADO UN FELIZ AÑO)

CUÁNDO PARAR

- CÓMO PARAR DE TRABAJAR
- CÓMO DEJAR DE GASTAR
- CÓMO CAMBIAR DE ACTITUD

- CUÁNDO SACAR EL PIE DEL ACELERADOR
- CUÁNDO NO COMER MÁS
- CUÁNDO TOMAR LA ÚLTIMA COPA
- CUÁNDO NO AGREGAR MÁS NADA

- DÓNDE PARAR DE DECORAR
- HASTA DÓNDE MAQUILLARTE
- DÓNDE PARAR DE CORREGIR

- CUÁNDO TERMINAR DE RETOCAR
- CUÁNDO DEJAR DE SUFRIR
- CUÁNDO IRSE A DORMIR

- CUÁNDO IRSE ∎

ALGUNAS OTRAS FORMAS DE PASAR LAS FIESTAS

CON AMIGOS

DURMIENDO

TRABAJANDO

EN LA CAMA

CONDUCTAS TÍPICAS DEL AMOR ENFERMO

CONFUNDEN LA PASIÓN CON EL SUFRIMIENTO

LES ENCANTA DARSE CELOS

VIVEN PELEÁNDOSE SÓLO PARA TENER QUE RECONCILIARSE

JUNTOS SE MATAN PERO SEPARADOS SE MUEREN

SÍNTOMAS DE QUE TU HIJO ADOLESCENTE ESTÁ ENAMORADO

HABLA POR TELÉFONO CUATRO HORAS POR DÍA	DECIDE TIRAR ESAS ZAPATILLAS Y COMPRARSE UNAS NUEVAS	USA PULSERITAS O ALGUNA DE ESAS COSAS QUE JAMÁS SE PONDRÍA

VA AL CINE A VER COMEDIAS ROMÁNTICAS	TIENE LA CABEZA EN OTRA	SE BAÑA

LA INDISCRECIÓN
ESE PUNTO ENTRE LA IDIOTEZ Y LA MALDAD

PREGUNTARLE A UNA RUBIA PLATINADA DE QUÉ COLOR ES SU PELO	QUERER SABER EL NOMBRE DE HOMBRE DE UN TRAVESTI	AVERIGUAR CÓMO SE LLAMAN EN LOS DOCUMENTOS LOS QUE USAN APODOS

CONTAR *LO QUE* NADIE TE PREGUNTA	PREGUNTAR *LO QUE* NO TE INCUMBE	METER LA PATA DEPORTIVAMENTE

LOS HOMBRES LA TIENEN MÁS FÁCIL PORQUE SIENTEN MENOS CULPA

CONSIDERAN LA JORNADA DE TRABAJO TERMINADA CUANDO SALEN DE LA OFICINA.

SON CAPACES DE PRENDER LA TELE A LAS 3 DE LA MAÑANA PARA VER UN PARTIDO.

AH, QUÉ BUENO IRSE A CASA...

...A LA TUYA, PORQUE EN LA MÍA NO SABÉS LO QUE ME ESPERA...

¡¡GOOL!!

...Y YO QUE ME PIERDO "SEX & THE CITY" PORQUE LO DAN A LAS 23:30...

SE PUEDEN CONCENTRAR EN LEER EL DIARIO MIENTRAS LOS CHICOS LLORAN.

NO PIDEN PERMISO, AVISAN.

BUUAAH!!!

¿PERO NO LO ESCUCHÁS?

¿M?

...EL VIERNES TENGO EL CURSO, EL SÁBADO UN ASADO Y EL DO-MINGO JUEGO AL TENIS...

AAH... ¿Y NO TE JODE QUE YO ME VAYA A COMER CON BRENDA?

OTRAS COSAS QUE HAY EN LA PLAYA ADEMÁS DEL RUIDO DEL MAR

LA TEMPERATURA DEL AGUA

UN SOL QUE TE CALCINA

ARENA POR TODOS LADOS

GENTE DE VACACIONES

COSAS QUE TE HACEN MAYOR

- EL MAQUILLAJE
- LOS AROS
- EL PEINADO DE PELUQUERÍA

- LOS ANIMAL- PRINTS

(SALVO ANTES DE LOS 25 Y DESPUÉS DE
LOS 50 AÑOS, Y SIEMPRE RESPETANDO
ALGUNA RELACIÓN CON LOS KILOS)

SÍ.　　　SÍ.　　　NO POR FAVOR

- SALIR CON DOS AMIGAS
- SALIR CON TU MADRE
- SALIR CON UN PERRITO
  EN LA CARTERA

- ESTAR GORDA

(AUNQUE SÓLO
CON TENER EL
BRAZO GORDO
ES SUFICIENTE)

- TU MARIDO
- UN NOVIO DEMASIADO JOVEN
- UN PELADO (NATURAL)

- EL DORADO / EL CAMEL
- Y EL TODO JUNTO

PSSSSS

- LA ROPA AJUSTADA
  (SOBRE TODO LA DE TU HIJA)
- LOS ANTEOJOS DE LEER
- LAS UÑAS ESCULPIDAS

- TENER CANAS
- TENER NIETOS
- TENER MÁS DE TRES
  MASCOTAS
- ANDAR DEL BRAZO
- TRATAR DE PARECER JOVEN

- QUE TE FALTE UN DIENTE

DE LAS COSAS PEQUEÑAS
(QUE NO ES LO MISMO
QUE LAS PEQUEÑAS COSAS)

POCAS TAN ÚTILES
COMO LA PILA

HACEN FUNCIONAR TANTAS
COSAS QUE CADA VEZ HAY MÁS

ESPECÍFICAS / DISEÑADAS
- ALGUNAS MUY LINDAS -

PARA MUESTRA BASTA UN BOTÓN

SON TANTAS QUE,
CADA VEZ CUESTA MÁS
RECONOCER A SIMPLE VISTA
CUÁL ERA LA QUE NECESITABAS

...ÉSA...
NO, NO...
ÉSTA...
...MEJOR
ME LLEVO
LAS DOS...

ASÍ VAS ACUMULANDO
UN MONTÓN QUE NO
TE SIRVEN PARA NADA

(SUELEN DORMIR
EN EL PRIMER CAJÓN
DE ALGÚN LADO)

DE ACUERDO A UN ORDEN DE PRIORIDADES DOMÉSTICAS SE
VA ORGANIZANDO UN SISTEMÁTICO ROBO ROTATIVO DE PILAS

SACÁS LAS DEL CONTROL REMOTO
PARA PONÉRSELAS AL DESPERTADOR

TE SACAN LAS DEL RELOJ DE COCINA
PARA PONÉRSELAS AL DISCMAN

DESAPARECE LA DE LA CÁMARA
Y EMPIEZA A ANDAR UN GAMEBOY

Y LAS DE LA LINTERNA ESTÁN EN EL
EQUIPO DE MÚSICA QUE ESTÁ EN EL AUTO

⊕ UNA CERTEZA

LAS DE LOS JUGUETES NO DURAN NADA

⊖ DOS DUDAS

ES DIFÍCIL SABER CUÁL ESTÁ NUEVA Y CUÁL ESTÁ USADA

Y MUY FÁCIL CONFUNDIRTE DE QUÉ LADO VAN

(AUNQUE ESTO ES DIRECTAMENTE PROPORCIONAL A LA EDAD)

OTRAS SON TAN IMPOSIBLES
DE CONSEGUIR QUE CUANDO
SE TERMINAN SE ACABA
LA VIDA DEL APARATO
QUE LAS CONTENÍA

Y TODAS PROVOCAN
LA MISMA INQUIETUD
¿ DÓNDE SE TIRAN ?

...Y SE LE PRENDÍAN UNAS LUCECITAS!
Y SONABA UN...

¡ZINC, CADMIO, MERCURIO!

LEY NATURAL DE COMPENSACIONES

LOS MEJORES CUERPOS LOS TIENEN LAS FEAS

LOS PETISOS SON SEDUCTORES

A LOS HOMBRES SE LES CAE EL PELO Y A LAS MUJERES LAS LOLAS

DESPUÉS DE LOS 40 TE AGARRA LA PRESBICIA QUIERAS O NO QUIERAS

CÓMO TE DAS CUENTA DE QUE SEGUÍS ENAMORADA DESPUÉS DE TANTO TIEMPO

LO VES DE LEJOS
Y PENSÁS QUE ES LINDO

SENTÍS ESOS ESTÚPIDOS CELOS
DE VEZ EN CUANDO

TE SIGUE IMPORTANDO
QUE NO COMBINE BIEN LA ROPA

PREFERÍS USAR UN CAMISÓN LINDO
ANTES QUE UN PIJAMA CÓMODO.

49

PUBLICIDAD ENCUBIERTA
ALGUNAS BUENAS RAZONES QUE TIENE UN SEÑOR DE 50 PARA BUSCARSE UNA DE 40 EN VEZ DE UNA DE 20
LA DE 20 ES LINDA PERO SE SIENTE HORRIBLE
¡ESTOY GORDA!
LA DE 40 NO ES DIVINA PERO SE SIENTE BÁRBARA
MMM... ¡ME HACE FLACA!
LA DE 20 ESTÁ LLENA DE PROYECTOS FANTASÍAS Y SUEÑOS
¡¡Y ME GUSTARÍA...!!
LA DE 40 TIENE GANAS DE PASARLA BIEN
...COMO QUIERAS...
LAS DE 40 SON INDEPENDIENTES ECONÓMICAMENTE
NO SÉ... REGALAME ALGO...
LAS DE 20 SALEN MUCHO MÁS CARAS
¡YA SÉ!, PERO ¡LO NECESITO!
LAS DE 40 YA FUERON MADRES
AUNQUE NO LO PAREZCA
LAS DE 20 TODAVÍA QUIEREN TENER UN PAR DE NIÑOS
¿Y MIRÁ SI ENGORDO 35 KILOS, COMO MI VIEJA?

CUATRO COSAS FEAS Y CUATRO COSAS LINDAS

LOS PERROS QUE TE HUELEN	LA CERVEZA TIBIA	CORTAR CON CUCHILLO DE PLÁSTICO	HACER COLA PARA PAGAR
LOS MUESTRARIOS DE COLORES	LAS FOTOS DE PAPEL	LOS PUESTOS DE FLORES	LOS HOMBRES QUE USAN PAÑUELO

PEQUEÑOS DESTRUCTORES

LA POLILLA ES UN INSECTO DAÑINO

QUE GUSTA DE LA LANA,
EL ALGODÓN Y LOS TEJIDOS

(SIN DESDEÑAR TAMPOCO
PIELES O PAPELES)

VIENE Y SE COME TU
SUÉTER FAVORITO

O TU MEJOR REMERA

(LA QUE TENÍA TU OLORCITO)

¡OH NO!

¡NO ME LA COMO! ES EL NIDITO DE MI LARVITA LO QUE AGUJEREA LA ROPITA

A LA POLILLA LE GUSTA

- TU PRENDA MÁS QUERIDA
- QUE ESTÉ MÁS USADA QUE LIMPIA
- TU PERFUME
- EL CASHMERE

TAN FEA COMO FINA,
POLIÉSTER NO DIGIERE
LA MUY POLILLA

Y ESTÁ LA HORMIGA,
QUE SE COME LAS PLANTAS

(Y TAMBIÉN SIEMPRE ELIGE
LA QUE MÁS TE IMPORTA)

LA TERMITA, QUE SE COME LA MADERA

Y EL MOSQUITO, QUE HASTA
LA SANGRE TE CHUPA

PERO LA POLILLA,
QUE SE COME LA ROPA,
ES LA QUE MÁS SE HACE ODIAR

LOGRA INCLUSO
QUE LLEGUES A DISFRUTAR
DEL OLOR A NAFTALINA EN
EL PLACARD.

EL ABNEGADO AMOR DE UNA MADRE

CUATRO COSAS TÍPICAS DE LA GENTE PAQUETA

PRACTICAR MUCHOS DEPORTES, SOBRE TODO ACUÁTICOS

HABLAR DE LOS PARENTESCOS DE LA GENTE

¡NO ES CIERTO! ANDAR A CABALLO NO ES ACUÁTICO

EL PRIMO SEGUNDO DE MI TÍA ERA EL PRIMER MARIDO DE LA MUJER DE ÉL...

PRONUNCIAR LAS PALABRAS EXTRANJERAS CON SU ACENTO ORIGINAL

TOMAR EL TÉ

...NO SABE SI IR AL "CLABMED" DE "BAJAMAS" O A ESQUIAR EN "SHAMONÍ"...

DESAYUNOS, ALMUERZOS Y CENAS DE TRABAJO ¿TE FIJASTE? PARA LOS QUE TRABAJAN PARECIERA QUE NO EXISTE LA HORA DEL TÉ...!

¿CÓMO BAILA USTED MEJOR EL RITMO DEL AMOR?

ROMÁNTICO COMO UN BOLERO

DIVERTIDO COMO UNA RUMBA

APASIONADO COMO UN TANGO

CALIENTE COMO UNA CUMBIA

FÚTIL DESESPERACIÓN

EL LAPICERO LLENO DE LÁPICES QUE NO ANDAN

TENER MIL DISCOS Y NINGUNO PARA PONER

BUSCAR LOS ANTEOJOS SIN TENERLOS PUESTOS

LO QUE NUNCA DEBE HACER UN BUEN CONTADOR DE CHISTES

DESCHAVAR EL FINAL AL OFRECERLO

REÍRSE MIENTRAS LO CUENTA

OLVIDARSE DEL FINAL

REPETIR LA ÚLTIMA FRASE VARIAS VECES

EXPLICARLO

CONTÁRSELO DOS VECES A LA MISMA GENTE

DEJAR DE FUMAR

UN DÍA LO DECIDÍS
DE VERDAD

SIN MENTIRTE

SIN FUMAR A
ESCONDIDAS TUYAS

TIRÁS HASTA EL ÚLTIMO
PAQUETE Y NUNCA MÁS
VOLVÉS A COMPRAR UNO

NI A PRENDER
UN CIGARRILLO

AL PRINCIPIO ANDÁS UN POCO
IRRITABLE

Y TE COMÉS
TODO

GRRR!!!

TENÉS GANAS DE CAMINAR
POR LAS PAREDES

(ES UNA BUENA IDEA PERO
SALÍ DEL DEPARTAMENTO)

Y TE PONÉS ALGO MONOTEMÁTICO

¿TE CONTÉ QUE HACE TRES SEMANAS Y CUATRO...

SÍ. CATORCE VECES

PERO NO TENÉS
MÁS TOS

DORMÍS
PROFUNDO

Y RESPIRÁS
SIN RUIDO

LA VIDA
HUELE MEJOR

(Y VOS NI TE DIGO)

CONSEGUÍS MEJORES
UBICACIONES EN TODAS PARTES

DESCUBRÍS CUÁNTO
TE MOLESTA EL HUMO

Y TE VES MÁS LINDA

(ALGO EN LA PIEL, MÁS ENERGÍA,
TE BRILLAN LOS DIENTES)

UN ORGULLO PERSONAL TE
LEVANTA LA AUTOESTIMA

Y AUNQUE LO EXTRAÑES
COMO LOCA
EN ALGUNOS MOMENTOS
MUY SERIOS

O VICEVERSA

SABÉS QUE HAY UNA SOLA COSA
COMPARABLE AL PLACER DE FUMAR

Y ES EL PLACER
DE NO FUMAR
MÁS

¿QUÉ CLASE DE SUBRAYADOR ES USTED?

¿SUBRAYA USTED LOS LIBROS?

- NUNCA, PORQUE NO SE LE OCURRE QUÉ

- A MITAD DEL LIBRO SE DA CUENTA DE QUE LE GUSTARÍA HACERLO, PERO, COMO NO EMPEZÓ DESDE EL PRINCIPIO, SE ABSTIENE

- A VECES, PERO EL ENTU-SIASMO LE HACE PERDER EL CRITERIO Y TERMINA SUBRAYANDO TODO

- SIEMPRE. LEE CON UN LÁPIZ EN LA MANO (INCLUSO LO USA COMO SEÑALADOR)

¿CON QUÉ LO HACE?

- CON LÁPIZ
- CON TINTA
- CON UN ROTULADOR FLÚO

¿CÓMO LO HACE?

- SEÑALA EL RENGLÓN DESDE EL MARGEN CON UNA PEQUEÑA MARQUITA

- SUBRAYA CON REGLA Y BIROME TODOS LOS RENGLONES QUE LE INTERESAN

- [MARCA CON UN PEQUE-ÑO CORCHETE DESDE EL COMIENZO HASTA EL FINAL DE LA FRASE]

- MARCA CON UN CORCHETE GRANDE TODA LA FRASE DESDE EL MARGEN

- ESCRIBE UN COMEN-TARIO AL MARGEN → *en ungro dos*

- DOBLA LA HOJA

CONSIDERA QUE ESTE HÁBITO ES:

- UNA FORMA DE INTERACTUAR CON EL TEXTO Y DARLE VIDA

- UN MAL NECESARIO *ÚTIL*

- UNA FEA COSTUMBRE

- UN CRIMEN

¿PRESTA LIBROS SUBRAYADOS?

✔ SÍ, PORQUE ES DESINHIBIDO, ALGO EXHIBICIONISTA Y UN POCO PEDANTE

✘ NO, PORQUE SE MUERE ANTES DE QUE OTRO SEPA LO QUE SUBRAYÓ USTED

¿SUBRAYA LIBROS PRESTADOS?

¿Y ENCIMA ME LO DEVOLVÉS? ¡¡PERO VOS SOS UN ▓▓ DE ▓▓!!

TRES TRISTES DESEOS

QUERER TENER UN MARIDO PARA PODER DEJAR DE SEDUCIR

QUERER ESTAR EMBARAZADA PARA PODER ENGORDAR TRANQUILA

QUERER SER VIEJA PARA DEJARTE LAS ARRUGAS DE UNA VEZ

GRANDES COMPAÑEROS

LA MÚSICA Y EL FUEGO

LOS GATOS, LOS PERROS

Y LOS VICIOS

COSAS QUE CANSAN

REPETIR TODO CUATRO VECES	VIAJAR	COMER AFUERA

DORMIR POCO	**TRABAJAR DURO**	**ESTAR PELEADOS**

QUÉ PEREZA

PEDIR DISCULPAS

PONERTE LINDA

QUEDAR BIEN

ORDENAR EL PLACARD

HACER ABDOMINALES

SACARTE TODO

PALABRAS GASTADAS

ACTITUD
CONCEPTO
DISEÑO

EXPERIMENTAL
INDEPENDIENTE
COMUNICACIÓN

TOP
VIP

MACHISTA
FEMINISTA
Y COMUNISTA

SEXO
DROGAS Y
ROCK AND ROLL

CADA VEZ HAY MÁS

GRANDES CANTIDADES DE DINERO
EN MENOS MANOS

INDUSTRIA DEL CONSUMO

EPIDEMIA PUBLICITARIA
MODAS QUE CAMBIAN
SECTORES VIP / PRODUCTOS PREMIUM
CASAS DE GENTE QUE NO LAS USA
REALITY SHOWS DE MILLONARIOS ABURRIDOS

TELEVISIÓN Y CORRUPCIÓN ASUMIDAS COMO SON
BOLSAS DE BASURA PER CÁPITA
TECNOLOGÍA Y DISEÑO AL SERVICIO DEL LUJO
SATURACIÓN DE INFORMACIÓN
SUCURSALES DE VICIOS Y SERVICIOS
ROPA EXCLUSIVA PARA PERROS
Y POBRES

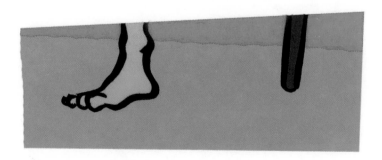

VALORES DESTACABLES VERSUS VALORES DESCARTABLES

SALUD, DINERO Y AMOR

FAMA, BELLEZA Y PODER

TIEMPO, ESPACIO Y SILENCIO

índice

Maitena
 Curvas peligrosas 2 - 1° ed. - Buenos Aires : Sudamericana, 2005.
 72 p. ; 28x21 cm. (Humor)

 ISBN 950-07-2694-7

 1. Humor Argentino I. Título
 CDD A867.

Esta edición de 35.000 ejemplares se terminó de imprimir en
Indugraf S.A., Sánchez de Loria 2251, Bs. As., en el mes de noviembre de 2005.
www.indugraf.com.ar

diseño: Alejandro Ros
foto: Urko Suaya

Impreso en la Argentina.
Queda hecho el depósito que previene la ley 11.723.

Edición autorizada para la Argentina:
Editorial Sudamericana S.A.®
Humberto I 531, Buenos Aires.
www.edsudamericana.com.ar

ISBN 950-07-2694-7